Anne-Lise Grobéty

# Le Temps des mots
# à voix basse

LA J🌼IE DE LIRE

*A Denise, l'amie de toujours*

# CHAPITRE I

C'ÉTAIT DANS UN PAYS de collines parfaites et de vergers. Dans une petite ville tranquille où tout le monde se saluait droit dans les yeux.

C'était il y a bien des années ; je n'étais encore qu'un enfant et tout me paraissait définitivement grand : le jardin de mon père, la ville, le bâtiment de l'école, le terrain de foot…

J'avais un ami. Un vrai.

Oskar.

De chez nous à chez lui, ce n'était pas très loin. On pouvait revenir de l'école ensemble presque tout le chemin. Il n'y avait que la dernière rue qui nous séparait. Et encore : pas pour longtemps ! Une fois le goûter et les devoirs avalés, il suffisait de courir au fond du jardin jusqu'à la hauteur des ruches de mon père, de sauter par-dessus la barrière pour apercevoir sa maison à l'autre bout de la rue.

MON PÈRE ET ANTON, le père d'Oskar, étaient les meilleurs amis du monde. Depuis tout petits, comme Oskar et moi. « Amis de toujours, disait mon père. »

— Depuis le commencement des temps, enchaînait le père d'Oskar.

— Amis comme les dix doigts de la main, rajoutait le mien.

Je sentais bien qu'il y avait quelque chose qui clochait dans ces dernières affirmations, mais comme chacun alentour avait l'air d'approuver…

Ils racontaient en riant qu'ils avaient tout fait ensemble – ou presque… Même leur premier amour, ils l'avaient partagé !

« On a fait les quatre cents coups, se vantait mon père. »

Et moi, à l'époque, je me demandais comment ils avaient réussi à compter jusque-là. Les calculs, ça ne m'intéressait pas. D'ailleurs, c'était généralement Oskar qui comptait pour moi et s'arrangeait pour que je connaisse la réponse avant qu'il soit trop tard. En échange je lui refilais discrètement l'orthographe sans reproche de quelques mots ou l'accord du verbe avec le sujet.

Bref, Oskar et moi, dans la vie, on s'épaulait pour tout ; même au foot, quand l'un des deux avait le ballon, il se faisait un point d'honneur de le passer à l'autre. On pratiquait partout entre nous une solidarité active, persuadés qu'on suivait en bons fils le digne exemple de nos pères: on était plus que des copains – de vrais amis de toujours – comme eux. Et on serait amis depuis le commencement des temps, comme les dix doigts de la main quand on serait grands. Comme eux.

On les sentait tellement accordés en tout. En le présentant, mon père plaisantait quelquefois: «Lui, c'est le comptable-poète et moi le poèteépicier. » Anton rectifiait le plus sérieusement du monde : « Voyons, Heinzi, je suis le poète-comptable et toi l'épicier-poète ! »

Car s'il y avait une chose qui allait de soi, c'était bien leur passion pour les beaux vers. Qu'ils accouplaient souvent habilement à quelques bons verres… On les entendait parfois jusque tard dans la nuit se relancer les strophes sublimes de nos grands poètes dans l'air sombre et tiède du verger. Et quand le taux d'alcool avait suffisamment grimpé, c'étaient leurs propres vers qui prenaient le relais…

Lorsque ma mère, le lendemain matin, lui faisait le reproche déguisé de ce qu'elle nommait « votre tapage nocturne », mon père se défendait (pas trop haut tout de même), vexé, en déclarant que le mélange subtil d'un bon vin et de l'art ne pouvait que grandir son homme, ou qu'on n'avait jamais vu assassin laisser pour mort quelqu'un en l'astiquant à coups de poèmes !

Il laissait aussi entendre à qui le voulait qu'il ne verrait pas d'un mauvais œil que moi, son fils cadet bien-aimé, son Benjamin, devienne « poète-tout-court ».

Bien entendu, en ce temps-là je m'inquiétais de savoir combien de mots il me faudrait aligner sur la page pour être « poète-tout-court ».

C'ÉTAIT IL Y A LONGTEMPS.

Avec Oskar, on se retrouvait au bout de la rue, on allait à l'école, on revenait en s'attardant un peu trop ; le samedi, on faisait partie de l'équipe de foot qui jouait sur le terrain à la sortie de la ville et on agaçait les filles dans les règles de l'art, on formait à deux un sacré régiment de bêtises. On faisait tout ce qu'il fallait faire à cet âge-là pour grandir et on était entré gentiment dans notre ère des quatre cents coups, après avoir décidé que le premier avait été le vol d'un bâton de bois de réglisse chez le droguiste de la Bahnhofstrasse.

Les seules menaces qui semblaient peser sur nous étaient les punitions du maître, les réprimandes de nos pères et les criailleries de nos mères.

Rien d'autre ne nous menaçait dans les petites rues tranquilles de notre ville où chacun se connaissait et ne manquait pas de saluer son voisin droit dans les yeux. J'étais le cadet choyé d'une famille sans histoires, fils d'un père qui possédait un petit commerce sur la devanture duquel il était inscrit *Epicerie fine et denrées coloniales* et qui, une fois le travail terminé, passait beaucoup de temps à soigner ses abeilles au fond de notre jardin quand il ne s'installait pas sous un pommier avec un « vrai livre », comme il disait pour bien le distinguer de tout ce qui se publiait « en vain »…

Oskar et moi, en sortant de l'école, on faisait parfois le détour jusqu'à l'épicerie où on restait un moment dans l'arrière-boutique, un peu étourdis par les vapeurs mélangées qui assaillaient les narines à souhait et qu'on tentait d'identifier, apprentis-humeurs pas très doués. On se retrouvait toujours sur le trottoir la joue enflée de quelques douceurs, bonbon à la violette, à la bergamote, ou double ration de boules de guimauve pour moi parce que Oskar avait horreur de la guimauve et qu'il n'osait l'avouer à mon père.

Saluer le père d'Oskar était plus difficile. Il travaillait dans l'une des deux banques de la ville et son bureau était au premier étage. On ne pouvait pas pénétrer dans l'immeuble mais on espérait qu'il lèverait la tête exactement quand on serait sous sa fenêtre. Sa main agitée dans notre direction valait bien la douceur de la violette !

RIEN NE MENAÇAIT notre vie
d'enfants jusqu'à ce que survienne
le temps des mots
à voix basse.

Que nous, les enfants, ne l'ayons pas senti se rapprocher ce temps-là, c'est normal. On fait beaucoup de bruit dans ces années de notre vie et les voix des adultes, ma foi, sont nettement moins importantes que nos chamailleries. Pourtant, quand j'essaie de retrouver quelque chose de cette époque d'aussi loin que je suis aujourd'hui, c'est bien aux voix des adultes que je pense. Ce sont les voix qui se sont mises à changer d'abord – leurs intonations, leur intensité, l'insistance de certains mots et de quelques noms qui pesaient de plus en plus lourd dans les conversations.

Et si je dis le temps des mots à voix basse, ce n'est qu'une demi-vérité puisque nombre de gens se sont mis au contraire à parler plus haut qu'avant. Notre maître, par exemple, a vite été de ceux qui ont haussé le ton. Et il a commencé à dire des choses qu'on avait décidé de ne pas entendre, Oskar et moi – un point c'est tout !

Mais mon père et son ami Anton ont tout de suite fait partie, eux, de ceux qui se sont mis à parler plus bas qu'avant. Leurs grandes envolées poétiques étaient de plus en plus souvent remplacées par de longues discussions à mi-voix où je sentais flotter des vapeurs d'inquiétude. Je humais dans le son de leur discours que quelque chose avait changé – mais quoi ?…

De toute façon, il aurait fallu être idiot pour ne pas avoir remarqué qu'ils ne s'éclaboussaient plus de leurs rires comme auparavant, quand ils étaient attablés entre pommiers et pruniers, et qu'ils ne faisaient plus frissonner les étoiles d'émotion tard dans la nuit.

Même le goût des bonbons à la violette ne me semblait plus pareil tandis que je louvoyais sur les trottoirs de notre petite ville où les gens n'avaient plus l'air de savoir se saluer droit dans les yeux.

Quant à la Voix qui parlait plus haut que toutes les autres… On l'entendait partout sortir du ventre des radios, vociférer au grand air par les fenêtres, sur les places, dans les cafés, au cinéma aussi; elle martelait des phrases auxquelles on ne comprenait pas grand-chose avec, derrière, des foules de plus en plus immenses qui faisaient claquer leur approbation. Autant chez nous que chez Oskar, nos pères avaient vite décidé de boucler la radio quand la Voix s'y mettait à tonner. Ma mère protestait mollement: « Heinzi, laisse-nous donc l'écouter… »

— On l'écoutera quand il racontera des choses sensées. Pour le moment, il ne me dit rien de bon.

MAINTENANT QUE LA VOIX avait pris tellement d'importance dans les maisons, les lieux publics et même à l'école, on voyait grimper partout sur les murs cette espèce d'araignée noire avec ses pattes tordues, posée sur le fond rouge sang des drapeaux.

J'avais entendu mon père bougonner au père d'Oskar :

– La croix sacrée hindoue, voyez-vous ça !… On se demande où cette bande de rustres a bien pu aller dénicher ça… Je crains que ça ne nous rapporte que des ennuis, leurs histoires.

– Et ce manque total de sens poétique, ajoutait son ami.

– Des idées barbares, ouais.

– Quand on pense : oser traiter Heine de
« poète dégénéré » !

En tout cas, qu'on puisse mépriser ainsi l'un de
nos plus grands poètes, ça, ils ne l'avaient pas
avalé.

Il y avait d'abord les mots qui avaient changé dans les bouches, la façon de se saluer et l'intensité des voix. Puis de plus en plus de drapeaux et de défilés. Nous, les enfants, on voulait croire à la fête : finalement, ce n'était pas si désagréable de parader dans les rues au pas, avec musique et bannières !

Jusqu'au jour où tout a été cul par-dessus tête. Jusqu'au jour noir à l'école.

ON VENAIT D'ENTRER EN CLASSE. Le maître a dit à Oskar, très fort:

— Toi, tu prends tes affaires et tu déménages tout au fond. Kurt, viens prendre sa place, devant!

Puis le maître n'a plus adressé la parole à Oskar, comme s'il n'avait plus été là du tout. Je me retournais tout le temps pour voir la tête de mon ami. Je voyais bien qu'il y avait des larmes dans ses yeux. Et quand il a voulu donner une bonne réponse, le maître l'a fait taire: «Estime-toi encore heureux qu'on te garde!» Et il a ajouté quelque chose où j'ai cru comprendre: «Fils de chien…»

A la fin de la classe, j'ai couru vers lui:

— Mais qu'est-ce que tu lui as fait au maître?

Oskar avait beau se creuser la tête pour chercher ce qui avait pu tellement lui déplaire dans sa conduite et déclencher une telle colère, il ne voyait pas. Il avait les yeux rouges, marchait la tête en bas, il ne savait pas ce qu'il dirait à son père, il avait peur de ce qui arrivait.

—Enfant, comment échapper à l'imbécillité humaine, a explosé mon père quand je lui ai raconté désemparé ce qui venait de se passer… Essaie toujours de t'en tenir à l'écart, quoi qu'il arrive… Et surtout ne laisse ni la méchanceté ni la bêtise salir ta bouche. Jamais.

Moi, je voulais savoir : pourquoi « fils de chien » – quel chien ?… Rien ne sortait de sa gorge trop nouée. Il y avait des choses que lui-même ne pouvait comprendre, il fallait qu'il y réfléchisse encore avant de me répondre.

On était au début de l'hiver. Tout était figé dans le verger. Les branches semblaient avoir été collées contre la grisaille du ciel pour toujours. Au fond du jardin, la bouche des ruches était déserte. Un reste de la première crachée de neige pendait au petit toit du rucher, dentelle usée et grise. J'avais envie de pleurer, j'avais besoin qu'on me console.

QUELQUES SEMAINES – quelques mois ? – ont passé, plutôt tristes. Le père d'Oskar a dû quitter la banque. Puis c'est Oskar qui a été exclu de notre équipe de foot et j'ai refusé tout crac de retourner jouer malgré les encouragements de mon père. J'ai fini par dire que j'avais mal au genou chaque fois que je tapais dans le ballon et il n'a plus insisté.

Mais quand l'entrée de l'école a été interdite à mon ami en même temps qu'à plusieurs autres de nos camarades, je n'ai malheureusement pas eu le choix. Il a bien fallu continuer d'y aller.

Au bout du troisième jour de son exclusion, Oskar n'est plus venu m'attendre à la sortie parce que les autres se sont mis à lui crier toutes sortes de noms détestables. On se retrouvait devant chez lui et on venait se réfugier au fond du jardin de mon père, le plus loin possible des ruches… Là, on commençait à refaire le monde ; on sentait bien qu'il y aurait du travail ! On s'imaginait en « fils de chien » (de la race des bergers allemands…), justiciers qui mordraient loin à la ronde dans les mollets de tous les « brailleurs », comme les appelaient nos pères.

La NUIT, JE RÊVAIS que je courais jusqu'au terrain de sport avec Oskar. Qu'on arrachait la bannière rouge au portail d'entrée dans le noir. On allait se cacher dans les fourrés tout proches et on piétinait l'araignée à tour de rôle, on lacérait le drapeau en tous sens...

Oskar ferait un trou dans la terre avec son couteau. Et on jetterait les morceaux dans la fosse. Ce serait notre seizième coup sur nos quatre cents coups.

Mais toutes nos colères, tous nos rêves de vengeance n'ont pas suffi à empêcher ce qui est arrivé par la suite.

Autour de nous, tout était devenu tellement embrouillé.

Un jour, pas d'Oskar à notre rendez-vous. J'apprends en rentrant qu'ils devront quitter leur maison d'ici à la fin de la semaine et qu'ils habiteront désormais à l'autre bout de la ville, « dans un quartier réservé ». Réservé à quoi ? Mon père auparavant si bavard et si gai ne desserrait pas les lèvres.

Je finis par comprendre dans cette confusion qu'il valait mieux ne pas être juif par les temps qui couraient. Si vous l'étiez, on vous obligeait à tuer votre chat bien-aimé, on vous interdisait de jouer dans l'équipe de football, on vous chassait de l'école, on vous envoyait habiter dans un quartier réservé…

Il ne fallait pas être juif, un point c'est tout — et nous ne l'étions pas.

Pourquoi et comment on pouvait l'être ou ne pas l'être, je n'en avais aucune idée. C'était typiquement un des sujets qu'Oskar et moi avions décidé d'ignorer. De toute façon, nos pères étaient l'un et l'autre «aussi athées que des ânes bâtés», comme ils disaient; mais à l'époque je n'avais qu'une vague conscience de la signification de ces mots. Mon père justifiait généralement son absence de foi en expliquant que les églises avaient fait verser trop de sang, qu'à ses yeux trop de crimes avaient été commis au nom de Dieu. C'était à peu près à cela que se résumait mon instruction religieuse.

**I**LS NE M'AVAIENT PAS vu venir et je l'ai entendu dire à ma mère :

— Bon sang, je lui ai répété combien de fois qu'ils feraient mieux de partir ? Cent fois ? Deux cents ? Qu'il ne fallait pas attendre que ça empire. Mais c'est Elsa qui ne veut rien entendre. Elle ne veut pas abandonner la maison et leurs affaires, elle est sûre que tout sera volé. Et alors ?… Est-ce que leurs vies ne valent pas tellement plus que tout ça ?… Elle n'arrête pas de dire que les choses vont s'arranger bientôt. Bientôt, bientôt ! Quand ce sera trop tard ?

Ma mère a eu alors un geste bizarre. Elle a porté ses deux mains à ses oreilles comme pour ne plus rien entendre. Elle a demandé, les mains toujours collées aux oreilles : « La guerre, n'est-ce pas, la guerre va bientôt éclater ? »

– La guerre et bien pire encore, a répondu mon père croyant parler dans le vide.

Et constatant brusquement qu'il avait parlé pour moi :

– Ah Benjamin, la guerre pour une poésie vivante : il va me falloir ton aide, mon petit !

DE TOUTE FAÇON, Anton ne venait plus chez nous et ne laissait plus sortir son fils. J'errais autour du logis de mon ami comme une âme en peine. Mon père m'avait fait comprendre que, pour l'instant, il valait mieux qu'on ne se voie plus, lui et moi. Les choses allaient s'arranger mais il nous faudrait du courage et de la patience à tous.

Lui ne quittait plus son épicerie que pour se réfugier au fond du jardin, autour de ses ruches, caché sous son grand chapeau à voilette comme si celui-ci pouvait à la fois le protéger des piqûres d'abeilles et du climat de violence et de mépris qui grandissait autour de nous.

Dans sa boutique, quand quelqu'un l'interrogeait d'un air mi-figue mi-raisin (« Et vous, monsieur Brauen, qu'est-ce que vous pensez de tout ça ? »), il s'affairait un peu plus, montrant à quel point il avait la tête à son travail et peut-être le sens de l'humour : « Moi, monsieur, je ne fais pas de politique : je ne fais que de la poétique en gros et de l'épicerie au détail ! »

# CHAPITRE II

C'ÉTAIT IL Y A LONGTEMPS, dans une petite ville tranquille où tout le monde se saluait, avant. Dans un pays de collines parfaites et de vergers aux douces toisons de printemps.

C'était au fond du jardin de mon père, qui avait été celui de son père et de son grand-père.

C'était pourtant à une heure matinale inhabituelle, au milieu des pommiers frôlant le ciel encore pâle de la promesse de leurs fleurs prêtes à nouer en fruits.

Quelque chose m'avait alerté. Un bruit de pas. Je m'étais levé. J'avais vu la large silhouette de mon père se faufiler vers le fond du jardin. Pourquoi s'occuper de ses ruches si tôt ?

Mais on était au temps des mots à voix basse et mon père avait plus important à faire, ce matin-là, que de soigner ses abeilles.

Il se tenait à deux pas de son ami Anton. Ils étaient unis dans de hauts chuchotements.

— Depuis toutes ces années, toi et moi, nous avons fini par avoir la même notion de l'amitié, lui disait son ami.

— Si je le sais !…

— Eh bien, Heinzi, il va falloir revoir nos idées. J'ai été ton ami…

— Comment ça, « j'ai été » ? Tu es mon ami.

— Ecoute, si je suis vraiment ton ami, je n'aurai qu'un souhait aujourd'hui : ne plus l'être.

— Allons bon, Anton, qu'est-ce que tu radotes…

Mon père secouait la tête. Il me tournait le dos mais je sentais qu'il devait sourire comme à l'une de leurs vieilles plaisanteries. Le jour était encore servi sans le sel des couleurs. Tout paraissait transparent.

Moi, j'étais passager clandestin, embarqué à bord du jardin par la force des choses. Accroupi juste derrière eux, à l'abri des ruches, presque noyé entre de longues mèches d'herbes détrempées par l'averse de la nuit. Et tout près de mon oreille, je devinais la vie contenue dans les ruches sur le point d'exploser en mille vibrations d'ailes dès que les premières banderilles du soleil auraient attaqué le vieux bois du rucher. L'odeur de la cire perçait mes narines.

QUEL OISEAU LÈVE-TÔT embrouillait leurs paroles par instant ?... Je ne m'en souviens pas.

Je me souviens seulement que l'heure était devenue grave tout à coup. Qu'elle pesait lourd dans leur bouche. Que les mots s'accrochaient à leurs lèvres comme pris dans les dents d'un peigne.

J'avais encore dans le corps
la légèreté de l'enfance.
Mais d'un coup je me remplissais
du poids de l'homme
et de ses supplices.

– Tu sais bien que je ferai pour toi ce qu'il faudra, disait mon père. J'ai une idée où vous cacher…

– Nous y voilà : par amitié tu mettrais ta propre vie en danger pour tenter de sauver la mienne ? Tu connais un véritable ami qui demanderait une chose pareille ? Si toi, mon ami, tu voulais prendre des risques pour moi, il serait de mon devoir de refuser ton aide. De savoir que toi, au moins, tu vis en sécurité serait un peu de baume sur mon malheur.

– Anton, soyons sérieux : si je ne fais pas un geste pour vous aider, tu me pardonnerais ma lâcheté au nom de l'amitié ?

Maintenant, c'est Anton qui sourit et les larmes ne tremblent pas seulement dans les feuilles du bouleau :

— Oui, c'est ce que je ferai. Je le ferai d'autant plus facilement si je sais que tu as renoncé à nous aider après mûre réflexion.

— Anton, je n'ai pas besoin de réfléchir, je sais ce que je dois faire.

— Je t'en prie, s'il te plaît, réfléchis encore…

ME VOILÀ PRIS entre bouillonnement d'abeilles et odeur de vieux bois qui tiédit en délivrant ses saveurs de miel.

— Le plus difficile, disait à cet instant mon père sans se douter qu'une fois de plus je l'entendais, le plus difficile c'est de ne pas être lâche quand il faut absolument ne pas l'être.

— Il y a plus difficile encore pour moi depuis quelque temps: accepter que dans toute graine d'humain le meilleur et le pire vivent ensemble comme un vieux couple désuni, et continuer de croire que l'amour n'abandonne pas la partie pour autant, même quand la haine prend toute la place comme c'est le cas autour de nous maintenant… Quant à la lâcheté (le visage d'Anton semblait se rider sous l'effort de parler), dis-moi franchement ce qui est plus lâche en fin de compte: ne pas tenter de porter secours à son ami ou, en le faisant, mettre en danger sa propre femme et ses enfants à qui on a juré protection ?

– Dans les deux cas, de toute façon, il y a risque de perte irréparable…

C'ÉTAIT IL Y A BIEN des années mais je réentends quand je veux le son de leurs voix, leurs mots s'enfonçant dans mon crâne d'enfant,

danger

douleur

lâcheté

le meilleur et le pire

l'amour

la haine

une perte irréparable.

Et mon père : « Tu es mon ami. »

Et Anton : « Si je suis vraiment ton ami… »

Toutes ces phrases gravées dans mon oreille depuis tout ce temps.

Mais je me demande encore comment j'avais réussi à me glisser jusque derrière les ruches sans qu'ils m'aient remarqué – eux qui étaient aux aguets, parlant à voix basse avant que le jour ait décidé de se lever sans regret…

LE SOLEIL A ATTEINT LE FAÎTE du rucher puis mon front. L'oiseau tôt levé s'est envolé en faisant s'égoutter les larmes du bouleau, laissant place nette à la tourterelle.

— Ce que je veux dire, chuchotait Anton, ce qui nous a amenés dans ce pétrin aujourd'hui, ce sont nos petites lâchetés quotidiennes à nous tous, depuis trop longtemps… Tout ce qu'on entendait dans les rues, dans les bistrots, la colère qui montait, l'hostilité, on a laissé faire sans réagir. On a regardé la haine et la violence accoucher de leurs petits devant nos portes comme des bâtardes, sans rien dire…

— Tu as raison, Anton, nous les amoureux de la poésie, du beau verbe, on a continué à vivre comme si de rien n'était, en refusant de voir de quelle pourriture les mots se nourrissaient dans leurs discours, quel poison mortel leurs paroles répandaient autour de nous.

— Oui, c'est notre lâcheté à nous deux aussi qui fait qu'un jour on en est réduit à penser que c'est une malédiction d'avoir un ami.

— Une malédiction d'avoir un ami ! C'est justement quand tout va mal que c'est une bénédiction de pouvoir compter sur ses amis, non ?

— Quand ton ami s'obstine à le rester et que cette amitié devient une menace pour lui…

— Anton…

Je croyais voir s'écrire dans le large dos de mon père les paroles qui prenaient appui à ses lèvres, alors que les abeilles avaient entamé leur journée de butine trop près de mon front. Je luttais de toutes mes forces pour résister aux battements d'ailes, aux zézaiements autour de mon visage. Et aux fourmis dans mes jambes.

Ils ont parlé pendant ce qui m'a semblé une éternité, à mi-voix; ils paraissaient ne plus voir le temps passer.

Tantôt leurs chuchotements bruissaient comme le vent dans les buissons. Tantôt le souffle bouillant de leurs paroles montait davantage à l'assaut des oreilles. Le sang bourdonnait d'autant plus dans mes jambes repliées.

J'ai peur – d'une peur que je n'ai jamais explorée jusque-là – tandis qu'eux se demandent à quel moment tout ça a vraiment commencé et comment ils ont fait pour se méfier si peu du désastre qui s'annonçait... Est-ce que tout a réellement commencé par la fureur allumée dans la pupille d'un seul homme ? Et cette fureur, comment est-ce qu'elle a pu finir par mettre le feu à tout un peuple ? Quand les mots se sont-ils mis à boire plus que de raison dans les rues, à tituber sur les trottoirs, à se tromper de colère ?…

– Ah, ils sont beaux, les mots qui ne se sentent plus pisser, qui sont prêts à couvrir les bruits de n'importe quels mensonges, de n'importe quelle folie !

Je ne comprenais pas tout, j'écoutais de tout mon être, j'absorbais.

C'est bien plus tard que j'ai réussi à éclaircir ce que mon père et son ami Anton avaient eu à se dire de toute urgence, ce matin-là.

Eᴛ ʟᴇs ᴘʜʀᴀsᴇs ᴅᴇ ᴍᴏɴ ᴘèʀᴇ et du père de mon ami Oskar piétinent encore dans l'air frais, coiffées de points d'interrogation, couturées de chagrin.

L'un dit : « Mais comment en vouloir aux mots d'avoir déformé la réalité et les rapports entre les gens, nous qui les aimons tant quand ils chantent sous la plume de nos poètes ? »

Et l'autre : « Je crois que nous aurions dû comprendre l'ampleur du désastre qui se préparait le jour où ils se sont mis à brûler les livres de nos penseurs et de nos grands poètes. Brûler les pages de Heine, les misérables !… Rappelle-toi ce qu'a dit Heine : que là où l'on brûle les livres, on finit par brûler les hommes… »

— Est-ce qu'on sera toujours condamné à comprendre trop tard, quand il n'y a plus rien d'autre à faire qu'à se résigner au pire ?

CE JOUR-LÀ, DANS LE JARDIN de mon père, j'ai appris que rien en apparence n'aura changé autour de nous au moment où se fermera la frontière entre le temps d'avant et le temps de la barbarie. Et qu'il nous faut être d'autant plus vigilants à toute heure pour dire ce qui nous semble bon et ce qui l'est moins.

Parce que, accoudés à notre fenêtre, on ne verra probablement rien de différent pendant longtemps. A peine si, un matin, la vitrine devant chez nous aura été brisée et qu'à la devanture, bientôt, le nom aura changé de consonance. Quelle importance : on s'habitue à tout, n'est-ce pas, et le goût de notre café au lait n'en aura pas changé pour autant, non ?...

Pourtant, les mots auront déjà probablement commencé leur travail de sape.

Et se lèvera le jour où les maudites paroles sépareront tout à la fois : copains d'avant, amis de toujours, parents de longue date, voisins de palier, l'épicier et ses clients, les quartiers ou les villes, des pays entiers dressés les uns contre les autres, des nations pleines à craquer de haine…

Les gestes de cruauté n'auront plus qu'à achever la besogne des paroles barbares.

Viendra ensuite le mois où même la parole rendra l'âme.

Il n'y aura plus que la violence qui parlera pour ne rien dire.

C'est toujours comme ça.
Toujours les mêmes vieux refrains de misère.

C'ÉTAIT DANS UN PAYS de collines parfaites, au printemps. Dans le jardin de mon père, les fleurs des pommiers étaient écartées à point. Les abeilles prenaient leur service en bouquets serrés. A chaque décollage, je ne pouvais m'empêcher de frissonner…

Tout à coup, comme reprenant conscience du temps qui avait passé, Anton a fait claquer les mots sous sa langue avec plus d'insistance :

– Heinzi, je sais ce que tu ressens en cet instant. Au nom de notre amitié de toujours, je te demande de ne pas chercher à m'aider pour ne pas compromettre ta situation. Mais au nom de notre vieille amitié, libre à toi d'en faire à ta tête. Aujourd'hui, c'est moi et les miens qui sommes menacés ; qui sait, bientôt ce sera peut-être ton tour. Les événements se retournent plus vite que leur ombre, il ne faut jamais l'oublier : un jour, on est dans le « bon camp », du bon côté de la misère, et le lendemain on se retrouve dans l'autre… Heinzi, il faut que tu saches combien c'est important pour moi que nous ayons pu avoir encore cette conversation, ici, ce matin, comme au bon vieux temps quand on prenait le temps de boire un de tes fameux vins…

« En tout cas, a-t-il ajouté presque brutalement, si tu te décidais malgré tout à nous apporter ton aide, il te faudrait venir chez nous ce soir, à peine la nuit tombée. »

Ensuite, ce serait trop tard.

« TROP TARD, TROP TARD ! », criait quelque chose dans mon regard tandis que je voyais comment les bras de l'un se refermaient sur le désespoir de l'autre.

MON PÈRE ME TOURNAIT LE DOS, les yeux perdus dans la direction où Anton avait disparu comme un voleur.

Je me suis mordu les lèvres le plus longtemps possible pour ne pas crier et puis, éperdu, j'ai bondi hors de ma cachette, les tempes en feu, la douleur cuisant au menton !

De surprise, en se retournant mon père a levé son bras au-dessus de sa tête comme pour me frapper.

– Te voilà bardé de clous de girofle comme un rôti, marmonnait-il en tentant de retirer les aiguillons de ma chair… Mais diable, qu'est-ce que tu faisais dans cette guêpière ?…

A LA NUIT À PEINE TOMBÉE, mon père a traversé le jardin et s'est faufilé jusque chez son ami Anton.

Aucune lumière. Aucun bruit.

Il est entré par l'arrière et a vite compris qu'il n'y avait plus personne.

Mais, sous la porte de la salle à manger, il lui a semblé voir une lueur… La flamme d'une bougie à demi entamée brûlait bien droite et s'est un peu inclinée pour saluer son entrée.

Posée à son pied, une lettre l'attendait.

Une fois de retour chez nous, mon père nous a rassemblés autour de lui et nous l'a relue gravement. Ses lèvres semblaient bredouiller chaque syllabe.

« Cher Heinzi, ami de toujours, avait écrit Anton, notre vieille amitié a été jetée au brasier de la folie des hommes mais quelle lumière elle offre en brûlant ! Je sais que je peux compter sur toi et que tu viendras ce soir, parce que j'ai la certitude que nous n'avons pas vécu ensemble tout ce temps en vain. Alors, pour que l'aide que tu désires m'apporter ne te pèse pas trop lourd et que tu puisses tout de même ne pas faillir à ton devoir d'amitié à tes propres yeux, je te confie le fardeau le plus fragile et le plus précieux. Je te confie notre petite Anaïs que nous avons laissée endormie dans son berceau. Je sais qu'elle ne pourra être plus en sécurité désormais qu'entre vos bras et je suis sûr qu'elle trouvera en toi un père aussi aimant et attentif que j'aurais aimé l'être pour elle si la vie en avait décidé autrement. Car à ce que je comprends, hélas, notre existence – que l'on choisisse de fuir ou de rester – est aussi vulnérable que les fleurs de la vigne : un souffle de gel trop appuyé cette nuit et il n'y aura pas de fruits cette année… Que notre amitié survive à travers notre petite fille aimée ! Merci et courage. Tu en as besoin autant que moi aujourd'hui pour ne pas maudire les hommes. Mais toi qui apprécies tellement la langue française, n'oublie jamais que dans le mot *désespoir*, on lit tout entier le mot *espoir* !

Ton ami à jamais, Anton. »

**M**on père a répété lentement d'une voix que je ne connaissais pas :

Ton ami à jamais – Anton.

A jamais.

Anton.

# Chapitre III

Ce matin de printemps a été la dernière fois où mon père a vu son ami Anton. Je n'ai jamais revu Oskar non plus. Quant à savoir ce qu'il est advenu d'eux… Quelqu'un a dit qu'ils auraient été arrêtés de l'autre côté du fleuve et entraînés dans la forêt avec d'autres gens.

DES MOIS PLUS TARD, c'est nous qui nous sommes effectivement retrouvés fuyards sur la route, détalant comme des lièvres devant les Russes… Anton n'avait pas eu tort : les événements se retournent presque aussi vite que leur ombre ! Nous étions tout à coup dans le mauvais camp, du côté de la misère des perdants. Toutefois, la seule vraie persécution que nous ayons subie a été celle de la fuite, de l'exil, celle d'avoir à se refaire des racines ailleurs – loin du jardin de mon père qui avait été celui de son père et de son grand-père, avant.

Mais la petite Anaïs a noué à notre famille comme le plus beau de ses fruits. Chaque jour, elle nous a enchantés par sa blondeur et ses rondeurs, gracieuse abeille butinant la joie de vivre autour de nous à chaque instant. Tout au long des années de pertes et de renoncements qui ont suivi, elle a été pour nous l'incarnation de la promesse du mot *espoir*.

C'ÉTAIT IL Y A LONGTEMPS et pourtant si près du temps d'aujourd'hui, tant les hommes ne cessent de redoubler leurs classes de malheur, toujours recalés à l'épreuve de bienveillance et d'amour. La même histoire de haine et de rejets, de refus de la différence, de territoires et d'orgueil, de pouvoir, recommence inlassablement autour de nous, faite de l'alphabet de violence et de souffrance dans trop de langues différentes.

S'il fallait la dresser, elle serait longue la liste des conflits qui continuent de séparer des amis de toujours tout autour de la terre !

QUANT À MOI, VOYEZ-VOUS, il a bien fallu que je me mette à calculer tout seul puisque Oskar n'était plus là. Et j'ai pris goût aux chiffres, aux formules mathématiques… Je ne suis pas devenu « poète-tout-court », comme l'aurait souhaité mon père. Je n'ai jamais été qu'un physicien-poète. Mais je crois avoir finalement réussi à le convaincre qu'il y a aussi infiniment de poésie dans les particules élémentaires – presque autant que dans les vers de Heine…

Il y a une chose, toutefois, pour laquelle j'ai toujours essayé de suivre son conseil: j'ai pris grand soin à ce que ma bouche n'abrite ni malveillance ni trop de bêtise.

Aux paroles de fiel,
j'ai toujours préféré
les paroles de miel !

# TABLE DES MATIÈRES

CET OUVRAGE
A ÉTÉ ACHEVÉ D'IMPRIMER
PAR L'IMPRIMERIE FLOCH À MAYENNE
EN NOVEMBRE 2001 (52935)

2e édition

© ÉDITIONS LA JOIE DE LIRE SA
2 BIS, RUE SAINT-LÉGER, CH-1205 GENÈVE
TOUS DROITS RÉSERVÉS POUR TOUS PAYS
ISBN 2-88258-207-2 DÉPÔT LÉGAL : AOÛT 2001
IMPRIMÉ EN FRANCE